*à Maurice Maréchal*

# CONCERTO

## pour Violoncelle et Orchestre

*Réduction de l'Orchestre au Piano*

Darius MILHAUD
*1934*

15
mf
mp
20
25
mp
p
pp

mp
30
35
p
mp

40
très énergique
f
45
50

55
f
mp (nonchalant)
p
60
mf
65
pp
sans ralentir

II. Grave ♩ = 56
mp
pp
6
5
10
15
tr♭

20
mp
25
30
mf
mp
35
p
6
6
pp
mf

40
mf
mp
45
mf
p
pp
50
p
mf
55
pp

60
mp
3
6
p
6
6
3
6
6
6
65
6
6
6
6
6
6
6
6
6
6

70
p
75
f
tr
mf
80
ff
mp
85
mf

*à Maurice Maréchal*

# CONCERTO

pour Violoncelle et Orchestre

**VIOLONCELLE**

**Darius MILHAUD**
*1934*

E.A.S. 14892

30
mp
mp
35
40
mf
f
6
6
6
très énergique
6
45
ff
6
6
6
50
6
55
f
mp nonchalant
60
PIZZ.
65
ARCO
p
sans ralentir

II. Grave ♩ = 56
mp
mf
p
f

60
mp
65
70
75
f
80
ff
mp
85
mf
90
95
100
p

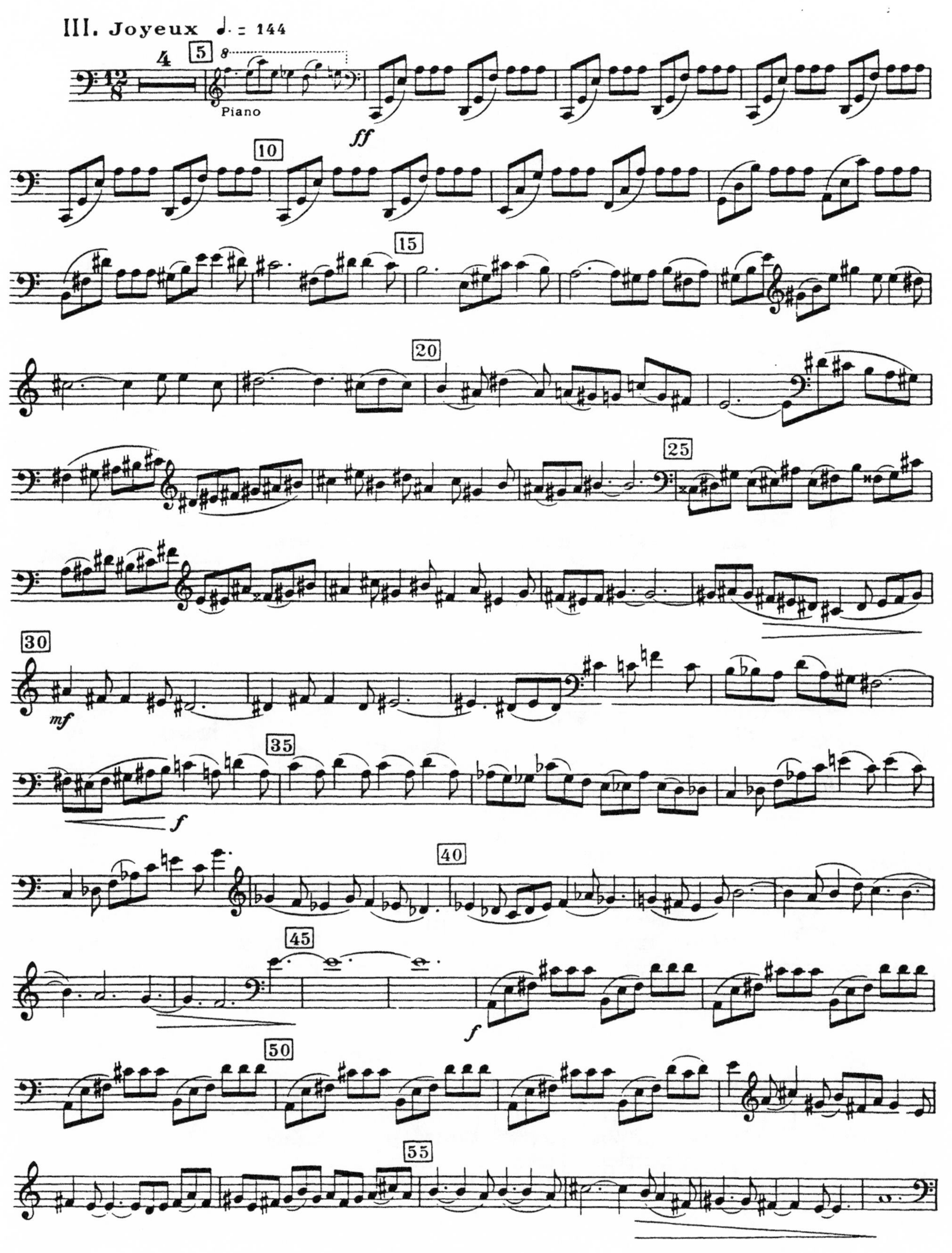
III. Joyeux ♩. = 144
Piano
ff
mf
f
f

1
60
mp
65
f
mf
70
f
75
80
ff

85
ff
f
90
ff
95
100
105

Venise_12 Septembre

III. Joyeux ♩.=144
ff
5
10

15
20
25
mf

30
mf
mp
35
f
40
45
p

50
55
f
mf
f

60
mp
65
f
mp
70
f

75
mp
80
mf

85
sf
f
ff
mp
90
95
mf
8

GRANDJEAN GRAV.